assirinha / 13

COMO QUEM DIZ

versos miudinhos de **António Torrado**

com imagens de **Ana Vidigal**

ASSÍRIO & ALVIM

O VULCÃO

Não foi nada, disse o vulcão.
Lava, lava, lava
que tudo lava.

Mesmo assim,
perdão.

NOITE E DIA

Noite — disse o dia.
Chamou. Chamou.
Chorou. Chorou.
Tanto ele a queria
que a noite voltou
e nos seus braços rolou
até ser dia.

O GRILO E A COUVE

Ouve, disse o grilo à couve,
ouve o meu novo trilo.
Novo? — duvidou a couve.
Novo! — confirmou o grilo.
É um hino às couves
em refinado estilo.
Mas não me comoves,
disse a couve ao grilo.

Ouve, disse o grilo à couve,
ouve que todo eu fibrilo.
E o grilo cantou
o re re re re refrão dos grilos
que cintila ao sol
numa nota só.

Cansada de ouvi-lo
a couve repolho
fechou olho e ouvidos.
Foi, então, que o grilo
lhe roeu as folhas.

O BACILO E O ANTIBIÓTICO

Estou óptimo, disse o bacilo
ao antibiótico.
Mas vai daí
começou a cambalear.
Vacilo, disse o bacilo
e caiu
de pernas para o ar.

Óptimo, óptimo era o antibiótico.

MENTIRA/VERDADE

É verdade, diz a Mentira
muito irada, enquanto a Verdade,
sagazmente
no seu canto
não diz nada,
porque a Verdade
mesmo calada
sabe,
como muito boa gente,
que a fala da Mentira
a si própria se desmente
e que mais tarde ou mais cedo
será descoberto o truque,
desmascarado o segredo
e apontada

a dedo
na rua
toda nua
tal como acaba o enredo
do Fato Novo do Grão Duque,
escrito por um tal Andersen,
louro dinamarquês
que, em Copenhague,
muitos livros fez,
ouro e tesouro
da humanidade.

Isto, sim, é que é verdade.

A URTIGA E A MÃO

Dia de Verão. Hora da sesta.

Queres uma festa? — disse a urtiga à mão.
Esta, esquiva, disse que não.
Depois, que sim.
Irra!
E a sesta acabou em comichão.

RELÓGIO PARADO

O relógio parou e disse: Acabou-se.
Parei o tempo.
Mas de dentro do relógio
o tempo saltou,
cavalgou, galopou
com dobrado alento
e o relógio ficou
parado
sem tempo.

A BAQUETA E O TAMBOR

Disse a baqueta para o tambor:
Gosto de ti até mais não.
Não. Não. Não. Não — disse o tambor.

Não me tens amor? — estranhou a baqueta.
E o tambor, numa careta:
Não.

Aí, a baqueta, arrebatada pela paixão
tão vibrante e persistente
como poucas mais serão,
disse, com despeitado ardor:
És um coiro velho, tambor.
Não tens coração.

E o tambor:
Não. Não. Não. Não.

A BAQUETA E O PRATO DE COBRE

A baqueta de há pouco,
apaixonada até mais não,
que só alcançara de troco
a seca rejeição
fosse qual fosse o tambor,
cansada de ouvir
o mesmo dobre em vão,
chegou-se por fim
a um prato de cobre
e falou-lhe assim:
Gostas de mim?

E o prato:
Tchim…

LINDO MONSTRO

Não sou assim tão feio, disse o monstro,
a ver-se ao espelho.
Dos olhos, o do meio, ora azul ora vermelho
e pestanudo,
dá-me um ar singular,
tal como a tromba a badalar
e o pontiagudo dente
que não sei disfarçar
de tão evidente, saliente
ao sorrir e ao falar
e que, por ser maior, coisa pouca,
me alarga demais o canto da boca.

Mas há pior, mais feios,
feios, de uma fealdade louca
cheios de verrugas
que nem tartarugas.
Monstros a valer.

Feios, feios, feios
que mais não podem ser.

Feio, eu? Cabeçudo? Façanhudo? Orelhudo?
Ora. Paleio.
O que eu tenho é um mau parecer.

O ELEVADOR

Disse o elevador, no último andar:

Gostava de voar
de ser barquinha de balão
ou avião
e de deixar este subir e descer
de patamar em patamar.
Este dever, esta prisão.

Azar.

O elevador descontente
avariou-se para sempre
e para sempre ficou
no rés-do-chão.

O ALICATE E O BILHETE

Clique, claque, disse o alicate ao bilhete.

Apre, disse o bilhete. Tiraste-me um bocado.

E eu ralado, disse o alicate. Já só eras meio bilhete...

A JANELA E O BARCO À VELA

A janela abriu-se e viu, no rio,
um barco à vela.
Janela: Leva-me contigo,
Barco: Espera por mim.
Janela: Fica tu comigo,
Barco: Não consigo.

E partiu
rio acima.
Embaciaram-se os vidros da janela
que soltou as cortinas
a acenar, a acenar
para a esteira de espuma do barco à vela
a escoar-se na neblina.

Tempo passou.

O barco pois claro que voltou.
Tinha de voltar.

Mal o viu,
na esquina do olhar,
a janela abriu-se de par em par.

Esta história chegou

19

ao tempo de acabar.
Mas cá para mim, disse a janela,
nunca vai terminar.

Eu sigo, disse o barco.
Eu fico, disse a janela.
E gritou:

Estás ancorado no meu olhar.
As minhas vidraças embaciadas
são o teu lugar cativo.
Para onde quer que vás
hás-de ficar,
comigo.

O DESPERTADOR

Disse eu ao despertador:
Não me acordaste a tempo.
E ele: Lamento, mas sem corda não acordo.
E eu: Incompetente.
E ele: Discordo e devolvo o insulto
ao remetente.
E eu: Meteste-me em sarilhos.
És um paspalho. Um estupor. Um empecilho.

Tu não me humilhas. Acabou-se,
disse o meu despertador.
E avariou-se.

Tive de comprar outro, mas a pilhas.

O ELEFANTE

Disse o elefante, muito indolente:
Totalmente vou, andantemente
e nem um passo dou
à minha frente.
Pois que é o chão
que dá um passo em mim
e eu vou contente
neste abundante tapete rolante
que nunca chega ao fim.

A FLOR E A ABELHA

Estás velha, disse a flor à abelha.
E tu, pior, disse a abelha à flor,
uma rosa vermelha
que era, tinha sido,
naquele Verão,
a mais bela rosa de canteiro.

Com a comoção nervosa
desfolhou-se a rosa.
Não se importou a abelha
que se lançou ao cheiro
de uma rosa em botão.
Mas já lá estava
empoleirado um zângão.

Desorientada, a abelha
voou à roda do canteiro,
mas em vão.
Nenhuma rosa.
Nem uma flor.
Desolação.
Foi então que a abelha

teve uma estranha sensação de torpor
nas asas buliçosas.

Apesar do sol abrasador
parecia
que perdia calor
e que o vigor
lhe fugia.

Do que seria?

DONA VANDA

Dona Vanda
Vitorino
de Verdasca
Vale Velez
deu um berro
Vasconceeeelos!
que se ouviu
em Carcavelos.

Veio a vila
toda vê-la.
Só não veio
o Vasconcelos
que não estava
em Carcavelos.

VALENTE MINHOCA

Vou poupá-lo
ou vou papá-lo?
disse a minhoca para o galo,
um belo galo pedrês.

O galo ficou parvo
e fugiu a sete pés.

CONSTIPAÇÃO DE AMOR

Disse a Joaquina ao Joaquim:

De ti para mim
de mim para ti
constipação sem fim.

E os namorados,
sempre abraçados,
continuaram
constipados.

A DENTADA DA PIRANHA

Venha quem vier
apanha uma dentada
olá se apanha,
disse a piranha.

Desceu ao rio
o Pirata da Perna de Pau
e a piranha
Zás! deu-lhe uma dentada
tamanha,
na madeira dura,
que partiu a dentadura.

SARGO E PARGO

Parvo, disse o sargo
ao pargo.
Parvo, não. Pargo,
emendou o pargo.
Mas já a rede
o puxava
e o levava
do mar largo
para a costa.
Era mesmo parvo,
concluiu o sargo.
Mas também ele
acabou
cortado posta a posta
e congelado.

FOLHA DE PAPEL

Uma folha de papel
não tem nome
mas esta tinha.
Chamava-se:
Meu Querido Manuel
e quem assim a chamava,
na última linha,
em letra redonda e desenhada,
era:
a tua muito amada
Candinha.

O SENHOR IRIA E FAMÍLIA

O Senhor Iria disse:
Vou.
Depois, hesitou:
Ia, se o resto da família também fosse.

O pior é que a família Iria
demorou-se. Não se decidia.
Iria... Não iria...
E ficou-se.

Ora ele, sem a família,
fosse para onde fosse,
nunca iria.

Talvez, noutro dia...

O CARDO

El-rei Ricardo disse ao cardo:
Tu picaste-me, cardo.
Vais ser condenado.
Não se pica um rei.

Eu sei, disse o cardo,
mas foi sem querer que te piquei.
Nasci para picar
e tu para mandar.
Se, um dia, deixares de ser rei
também eu deixarei
este ofício de cardo,
irado e atrevido.

Está decidido, disse o rei.

Podia ter sido assim
podia ter sido,
mas o que eu sei
é que veio a república,
foi-se embora o rei
e o cardo faltou ao prometido.

PUBLICIDADE AO DETERGENTE VIGÍLIA

Disse o ladrilho pai ao ladrilho filho:
Quero-te sempre com muito brilho.
E, de facto, no chão ladrilhado,
Ladrilho, Pai & Filho,
lado a lado,
só não tinham mais brilho,
porque o chão nem sempre
era esfregado
com VIGÍLIA
o único detergente desodorizante
que põe radiante e resplandecente
toda a família.

Também há em pasta de dentes,
para casos mais renitentes.

A TIA BIA

O calendário disse ao dia:
Não te esqueças dos anos da tua tia.

Minha, não. Dela — disse o dia
da sua janela.

Pois sim. Veio o tal dia
e não é que a Nela
se foi esquecer
dos ditos anos
da dita tia
de nome Bia,
que não merecia
o esquecimento
da dita Nela.

Tanto lhe queria
a dita tia
chamada Bia,
que, à cautela,
vai oferecer
à sobrinha dela

um calendário
do novo ano
e nele escrever
com a letra dela,
na tal janela
do dito dia:
Não esquecer.
Hoje faz anos
A tia Bia.

A FERIDA E O DESINFECTANTE

Disse a ferida para o desinfectante:
Quero-te pouco ardente
e, se possível, muito refrescante.

Não obstante, o desinfectante
ardeu e ardeu e ardeu
tão persistente, mordente e constante
como lhe cabia ser
ou não fosse ele um desinfectante.

Livra que és mau, disse a ferida, a arder.
Mau, eu? O que eu sou é prudente,
disse, concludente, o desinfectante.
E era. Passados dias, a ferida dizia
de crosta reluzente: Já não estou doente.

Graças ao socorro urgente e tão diligente
do desinfectante, podia ter acrescentado
a ferida, se não fosse tão esquecida.

Mas é uma característica das feridas:
depois de saradas, são mal agradecidas.

SILÊNCIO

Silêncio — disse o escuro.
E a noite veio, cálida e mansa,
dizer ao Florêncio:
Dorme descansado.
Mas qual descansado!
Por mor da Hortênsia
que ressonava ao lado
o bom do Florêncio
ficava acordado
até de madrugada.

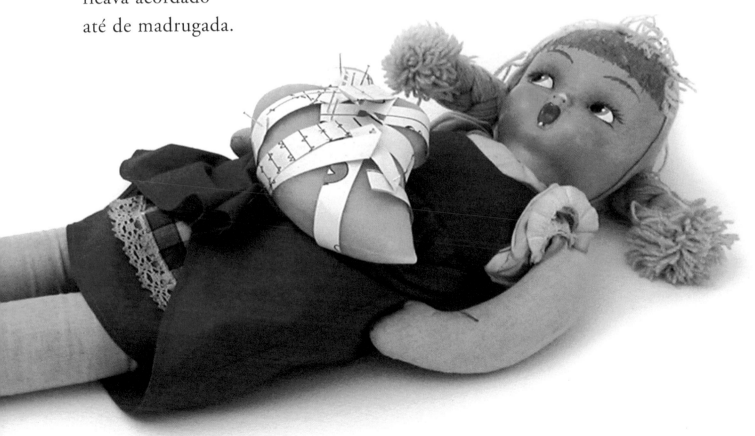

Esta pendência
só foi dissipada
quando o doutor Juvêncio
deu de conselho
à boa da Hortênsia
a independência
de um quarto ao lado,
mas bem resguardado
para que o Florêncio
enfim descansasse
ouvindo o silêncio
e em paz ressonasse.

Mas como a Hortênsia
está habituada
ao cálido Florêncio
deitado a seu lado,
na nova experiência,
só, desamparada,
vê passar a noite
de olho arregalado.

E, aqui para nós,
também o Florêncio...

A DOR

Fui com a minha dor ao doutor,
que lhe disse, a despachar:
Não tem que se preocupar.
O seu mal é fadiga.
Tome estes comprimidos ao deitar.
Aprenda a nadar. Faça boa vida.
E toca a andar. Siga.

A minha dor ficou muito enxofrada.
Não estava habituada a ser assim tratada.
Era uma dor respeitável,

uma dor antiga,
uma senhora dona dor,
uma dor de estimação.
Uma velha dor muito minha amiga,
mas não do coração.

De modo que, à saída,
ofendida com a minha submissão
à insolência do doutor,
a minha dor
numa veemência, num furor, numa grita,
atirou-me:
Traidor. Traidor:
Eu, a tua dor favorita!
Que despudor! Que desrespeito!

E abandonou-me.
Deixou-me sozinho, à porta do doutor.
Sozinho não. Com um mau jeito.
Ou antes, uma moínha.

Ninguém é perfeito.

O ABRAÇO DA SERPENTE

Constantemente
sente a serpente
que não gostam dela
como serpente.

Só gostam dela
em pele, sem ela.
Só gostam dela
superficialmente.

Tornada mala,
cinto, corrente,
eu não me sinto
como serpente,

diz a serpente
impaciente
quase doente
incomodada
desesperada
por ser serpente.

Eu sou tão querida
tão inocente,

o meu olhar
tão transparente.

O meu abraço
é tão dormente
e o meu beijo
é tão ardente.

O meu amor
tão envolvente.
Ninguém resiste
a uma serpente.

Como há quem diga
não ser prudente
ter como amiga
uma serpente?

Diz a serpente
impaciente
quase doente
incomodada
desesperada
por ser serpente.

A FORMIGA E A PEDRA

Dá-me de abrigo, disse a formiga à pedra.

Respondeu-lhe a pedra:
Fosse eu casa
abria-te o postigo.
Fosse eu asa
amornava-te comigo.
Tivesse eu porta, cave, vão ou viga
e não te deixava ao frio, formiga amiga.
Sou pedra, mas tenho coração.

Mesmo assim, mesmo fechada,
sem entrada nem saída
a pedra deu guarida.

Num umbigo da terra
entre a pedra e o chão

encaixou-se a formiga.
e, nesse estreito vão,
adormeceu, coberta pela pedra
que ficou alerta
toda a estação do frio,
quieta, muito quieta,

sem um arrepio
que estremecesse o chão
e acordasse a mendiga,
ouvindo a pulsação
do seu próprio coração
igual ao da formiga.

ÍNDICE

© Assírio & Alvim (2005)

Rua Passos Manuel, 67 B, 1150-258 Lisboa

António Torrado e Ana Vidigal

Edição 0099, Setembro 2005

ISBN 972-37-1048-X

Tiragem: 2500 exemplares

Depósito legal 232239/05

Impresso e acabado na Norprint – Artes Gráficas, SA

Santo Tirso